내 삶의 중간을 쓰다

: 한결같이 살아가길 꿈꾸며

발 행 | 2024년 6월 27일
저 자 | 윤현진
펴낸이 | 한건희
펴낸곳 | 주식회사 부크크
출판사등록 | 2014.07.15.(제2014-16호)
주 소 | 서울특별시 금천구 가산디지털1로 119 SK트윈타워 A동 305호
전 화 | 1670-8316
이메일 | info@bookk.co.kr

ISBN | 979-11-410-9156-9

www.bookk.co.kr

내 삶의 중간을 쓰다 2024

내 삶의 중간을 쓰다
: 한결같이 살아가길 꿈꾸며

지음 윤현진

목 차

제 1장 詩 : 한결같은 사람

제 2장 에세이 ; 나의 노래

프롤로그

세상에서 젤 부러운 사람이 글을 잘 쓰고 말을 잘하는 사람이다.
먼저 나는 글을 잘 쓰고 싶다.
글을 척척 잘 써 내려가면 얼마나 시원할까?
말을 잘해야 글을 잘 쓰는 걸까?
글을 잘 써야 말을 잘하는 걸까?

그 와중에 책쓰기 과정이 눈에 들어왔다.
내 인생의 중반에서 딱 마주쳤다.
그래서 난 천천히 글을 쓰기 시작했다.
첫 번으로 미흡하지만 공저로 책을 펴냈으며
두 번째도 미흡하지만 나의 단행본을 발간하게 되었다.

나의 글쓰기는 천천히 계속될 것이다.
욕심내지 않고....

어디선가 보았다.
잘하고 싶다는 건 내 안에 충분히 그 자질이 있는 거라고....
나는 그 문장을 냉큼 움켜잡았다.
그리고 소중히 간직하고 있다.

1장 詩

한결같은 사람

무

누구는 있어도 없다 하고
누구는 없어도 있다 하고

누군가에게는 행복한 것이
누군가에게는 불행으로 느껴지고

행복은 어떤 것이고
불행은 어떤 것일까?

행복이 영원할까?
불행이 영원할까?
그런 삶은 없다

실체

[무 詩 감상평]

좋은사람들과 카페에서 커피를 마실 수 있고
책을 사서 볼 수 있고
넷플렉스로 영화를 볼 수 있는
행복…

불행은?
행복의 반대가 불행이겠지

삶은
내 마음대로 되지 않는 것
주어진 순간순간 감사하며
물 흐르듯 순리대로 살자

엄마

만질 수도
냄새를 맡을 수도
볼 수도 없지만 난 느낄 수 있어

내가 힘들 때도
내가 외로울 때도
엄마가 어디에서든
나를 지켜 보고 있는 것 같아

"내가 나이 든 모습을 보고 싶다"고 했던
엄마의 그 한마디가 아직도
내 귓가에 생생히 들려
대신 내가 나이 드는 모습을 지켜봐 봐
그게 엄마의 모습일 거야

엄마가 볼 거니까
더 신경 써서
곱디고운 모습으로
나이를 먹어야겠네

엄마 속상하지 않게
잘 살다가 갈게

그때 만나자

나의 수호신

[엄마 詩 감상평]

2000년 1월 3일
엄마가 59세에 갑자기 뇌출혈로 쓰러지셨다.
내 마음속에 든든했던 기둥이 무너졌다.
엄마가 없으면 못살 것 같은 나였다.

그 후
2년이란 세월을 병석에 꼼짝없이
누워계시다 돌아가셨다
정을 떼고 간다는 말을 나는 그때 실감했다
너무 사랑하면 정을 떼고 간다고.....

나도 어느새 엄마의 나이가 되어가고 있다
엄마가 되고 보니 엄마라는 자리가 얼마나 힘든지..
잘해주지도 못하고 철없던 딸
임종도 지켜주지 못한 딸
미안하다는 식상한 말 대신
엄마가 갈 때 해주지 못한 말
"사랑해"

이면지

무언가를 써서 버려야 할 것 같아
한 장 두 장 세 장
차곡차곡 모아 두었다

한 단어 두 단어 세 단어가 모여
한 줄 두 줄 세 줄 모여
글이 되어야 하는데

어쩌나
나는 애꿎은 이면지만
째려보고 있네

애증의 관계

[이면지 詩 감상평]

이면지만 보면 욕심이 난다
몇 년을 모아 놓은 것 같다
무언가를 끄적거려서 버려야 한다는 강박관념이 있다
문제는 맘만 있을 뿐 행동으로 실행하지 않는다

이면지와 나는 무슨 관계일까?
애증의 관계?
이면지를 좀 더 부지런히 사랑해 줘야겠다

한결같은 사람

새해······

추석······

생일······

평소에 잊고 지내던

지인들에게

인사를 한다

작년엔 못 만났지만

올해는 꼭 만나겠다는

다짐이라도 하듯

매해

내 마음을 알아주듯

반갑고 고맙게

반겨 준다

나는 그저

한결같은 사람이고 싶다

나란 사람

[한결같은 사람 詩 감상평]

"새해 복 많이 받으세요"
"보름달 보며 소망하는 모든 일 들 이루길 바랄게요"
"생일 축하해요"

매년 오랫동안 만나지 못했던
지인들에게 인사 메시지를 보낸다.

올해는 만나야지 만나야지 하면서도
생각대로 되지 않는다.

그래도 이렇게나마
안부 인사를 전하는 게
나에겐
소중한 일이다.

사람들에게 나는
그저 '나'이고 싶다.

교감

만나러 가기 전부터 설레어
얼굴에 웃음이
피어나는

만나면
가식이 아닌
나의 모습 그대로를
보여 줄 수 있는

만나면
마음이 포근하고 편안하고
내가 사랑받고 있음을 느끼는

헤어질 때 아쉽고
언제 또 만날지
약속 날짜를 정하는

행복한 마음이 드는
그런 관계

행복이란?

[교감 詩 감상평]

서로 통한다는 것
뭐 별거 있을까?
그저 함께 있는 것만으로도
웃음이 난다면 그게 행복이 아닐까?

그런데 그게 쉽지 않다
한평생 살면서
눈길만 마주쳐도
웃음이 나는 사람이
몇 명이나 있을까?

아니지 한 명만 있어도
나는 행복한 사람이지

반백 년

반백 년을 살아내니
몸이 여기저기 아프다.
받아들여야 하는데
마음 또한 울적해진다.

반백 년을 살고 보니
음식에 제약이 온다.
이 또한 마음이 울적해진다.

반백 년을 살았지만
인생
모르는 게 너무 많다.
이것 또한 마음이 울적해진다.

어차피 운동하는 삶이어야 한다고 생각하니
다시 힘이 난다.
나이 들었다고 운동하는 게 아니라
해야 하는 운동을
게을러서 못한걸
이제야 하는 거라고

어차피 좋은 음식을 먹었어야 한다고 생각하니
다시 힘이 난다.
나이 들었다고 챙겨 먹는 게 아니라

챙겨 먹어야 했는데
게을러서 못한걸
이제야 하는 거라고

어차피 인생 공부는 끝이 없다고 생각하니
다시 힘이 난다.
이제 게으름 피우지 말고
배우고 배워야지

이제야
모두 받아들이고
웃을 수 있네
하하하!

나의 나머지 반

[반백 년 詩 감상평]

건강 검진을 했다
콜레스테롤이 높단다
왼쪽 다리가 아픈 지 오래되어 정형외과에 갔다
허리협착증이란다
눈에 뭔가 끼인 것 같아 안과에 갔다
백내장이란다

휴~~~~~~~
이제 시작일 뿐 얼마나 아픈 곳이 더 많아질까?
앞으로 백세시대라는데
이런 몸으로 어떻게 반백 년을 더 살아야 할지 막막하기만 하다
우리 딸은 한술 더 뜬다
"엄마, 내가 100살 때까지 살아야 해"
나는 고맙기도 하고 나를 고문을 시기는구나 하고
피식 웃음이 나왔다

앞으로의 반백 년은 어떻게 살 것인가?
이미 망가진 몸은 보수를 해가며,
이제 망가지려는 몸은 살살 다독이며,
내 몸과 말을 걸어가며 살아야겠다.

"살펴봐 주지 못해 미안하다, 내 몸아"

쿵쾅쿵쾅

글 쓰러 카페에 왔다
그런데 갑자기 내가 좋아하는
노래가 흘러나온다
게다가 비도 내리고 있다

내 가슴이 갑자기 쿵쾅쿵쾅
어쩌지?
뭘 어째 이럴 때 빨랑 글을 써야지
쿵쾅쿵쾅 이 사라지기 전에

산고의 고통

[쿵쾅쿵쾅 詩 감상평]

책상 위에
노트북을 놓고
빈 노트와 연필도 놓고
그동안 끄적여 놓은 노트, 수첩들을 놓고
커피도 놓고
자리 잡고 앉았다

내가 좋아하는 팝송리스트도 틀어놓고
창밖에 비도 내리고
모든 걸 다 준비해놓고 앉아도
애꿎은 머리채만 부여잡고 있다

나가자
마지막 히든카드,
카페로.......

언니

이 세상에 하나밖에 없는 언니
엄마가 돌아가시고 나서
나의 뒤치다꺼리를 모두 해 주었다.

결혼식, 나의 산후조리,
나의 아이들이 어리다는 이유로
엄마 제사음식도 바라바리 싸왔다.

무슨 일이 일어나면
당장 달려와 해결해주고
당연하다는 듯 공치사도 하지 않는다.

그렇다고 우리는 자주 만나지도 않고
전화는커녕 카카오톡도 자주 하지 않는다.
필요한 말만 가까스로 한다.

그래도 우리는 서로의 마음을
찰떡같이 안다.

혈육이란

[언니 詩 감상평]

언니는 내가 고등학교 입학하자마자
대학을 가면서 자취를 하게 되어
4년이란 긴 시간을 떨어져 지내고
24살에 결혼을 해서 나와 고작 16년을 함께 살았다.
게다가 워낙 시크한 성격이라 만나면 어색한 사이다.

하지만
나는 안다.
언니의 속마음은 얼마나 따뜻한 사람인지.
우리는 안다.
서로를 얼마나 사랑하고 있는지.

추억

사진 속 그리운 얼굴들
참 좋을 때다
감탄이 절로 나온다.

사진 속 아이들은 모두 어디서
무엇을 하며 살고 있을까?

사진 속 얼굴들을 찬찬히 들여다본다.
참 좋을 때인데
그래도 게 중에는
얼굴이 밝지 않은 아이가 있다.

사진 속 내 얼굴도 들여다보았다.
얼굴은 웃고 있지만
그 속에 담긴
내 마음을 안다.
참 힘들었지
사진 속 나에게, 그리운 얼굴들에게
어깨를 토닥여주고 싶다.

모두 잘 이겨내고 잘들 살고 있겠지
내가 그렇듯이.....
그렇게 믿고 싶다.

과거 여행

[추억 詩 감상평]

다 떨어져 너덜거리는 앨범을 버리고
사진만 남기려고 정리를 하다가
사진 속 그리운 얼굴들을 보았다.

그중에서도
20대 초반에 동아리 아이들과 함께 찍은 사진이
눈에 들어 온다.
한명 한명 보다 보니 그 사람의 향기가
풍겨 나온다.
저 아이들은 30년이 훌쩍 지난 후
타인이 자기의 얼굴을 들여다보며
자신이 남긴 향기를 맡을 거라고는
꿈에도 생각 못 하겠지
나는 다른 아이들에게
어떤 향기로 남아있을까?

지금도 사람들을 만나면 추억을 만들기 위해
여전히 사진을 찍고 있다.
나의 또 다른 향기를 남기기 위해
옷매무시를 단정히 하고
미소를 지어야겠다.

몽글몽글

아무도 다치게 하지 않는
몽글몽글한 뭉게구름에서도
비가 내린다
누군가의 어깨를 적시게 할 어두운 먹구름은
항상 비를 내리지는 않는다

나는 항상 우산을 들고 다니지만
누군가를 위해 우산을 내어준 적은 없다
같이 우산을 쓰고 비를 피하는 일도 없었다

갑작스러운 비를 막아줄 수 없는
나의 찢어진 우산을 대신해
지금 들고 있는 이 우산을 내어주고 뛰어가는
저 사람의 뒷모습을 본다

난 지금 내리고 있는 비가
정말 먹구름에서 떨어지고 있는지
하늘을 올려다보았다

양면성

[몽글몽글 詩 감상평]

사람은 누구나 양면성을 가지고 있다.

몽글몽글한 뭉게구름이라고 해서, 어두운 먹구름이라고 해서
보편적으로 생각하는 일이 반드시 일어나지는 않는다.

회사에 늦어 엘리베이터에서 달려오는 사람을
무시하고 닫힘을 누르는 사람이
업무 실수를 한 후배에게 친절한 조언과 함께
커피 한 잔을 사기도 한다.

타인을 믿지 못해 우산이 있어도
혼자 쓰거나 내어주지 사람이
처음 보는 사람에게 우산을 건네받고
지금까지의 자신은 타인의 다른 면을 보려고 하지 않았다는
것을
알게 되었던 것이다.

신당동 떡볶이

배가 불러도
떡볶이 소리만 들어도
군침이 절로 도는
한국인의 소울 푸드

고추장소스에
어묵, 튀김만두, 쫄면, 라면 사리
거기다가
볶음밥까지

이문세의 '소녀'가 흘러나오면
뮤직박스의 DJ가
"2번 테이블 남자분들께서
4번 테이블 여성분들께
라면 사리와 튀김만두, 쿨피스를 보내주셨습니다"

추억을 먹으러
신당동으로 가보련다

추억 여행

[신당동 떡볶이 詩 감상평]

옛친구와 오랜만에
신당동떡볶이를 먹으러 갔다
아쉽게도
옛날 분위기는 찾아볼 수 없었다
70~80년대의 경쟁력은
뮤직박스의 DJ였는데
지금의 경쟁력은 발렛주차

가게 안으로 들어가니
정말 남녀노소가 모두 모여 있었다
동년배인듯한 여자분들이 친구들과 인증샷을
찍으며 즐거워하고
옛 추억을 느끼러 오신 분들이
많아 보였다

나이 들면서
추억을 느낄 수 있는 곳이
있다는 건
또 하나의 행복이다

공항

분주히 오가는 사람들
즐거이 여행을 가는 사람
사업차 출장을 가는 사람
좋지 않은 일로 급히 가는 사람
모두 자기만의 현실을 안고 떠나는 사람들
겉보기엔 모두 즐거운 여행자들이다

바다 건너갔다가
다시 일상으로 돌아온다

모두
무엇을 가지고
무엇을 느끼고
무엇을 얻어왔을까?

인생

[공항 詩 감상평]

큰딸이
코로나로 발이 묶여 있다가
대학 3학년이 되어서야
짐싸들고 아무도 없는 타지로
유학길에 올랐었지

공항에서 몇 시간 동안 긴 줄 늘어서서 코로나 검사
아무도 없는 타국에서 2주 동안의 격리
대단했던 코로나였지

이번엔
방학해 잠시 다니러 왔다가
졸업과 취업을 해서 이사를 해야 하는
겁나면서도 설레는
공항 길이었지

공항은 그런 곳인가 부다
어떨 때는 두려움
어떨 때는 설레임
롤러코스터를 타듯
두려움과 설레임을 교차하는
인생과 비슷하네

남의 편

우스갯소리로
로또에 맞았다 한다
안 맞아도
너무 안 맞는다고

당연하지
서로 살아온 환경이 다르니

60세의 시대에서
100세의 시대로 바뀌었다

서로의 다른 점을
얼마나 인정해주느냐가
남의 편에서
나의 편이 되어
100세 시대를 함께 살 수 있지 않을까?

짝꿍

[남의 편 詩 감상평]

24년이란 세월이 흘렀다
우여곡절 많았던 나날들

누구나 살아온 세월이 녹록지 않음을
이제야 느낀다

그래도 지금까지 너무나도 성실하게 달려와 준
짝꿍이 고맙다

앞으로 남은 인생을
친구 같은 짝꿍으로 함께 하고픈
나의 마음은
욕심일까?

딸 I

언제나 기쁜 소식을 안고
들어오던 딸

어릴 때부터 큰 포부를 품고
지내던 딸

항상 무언가에 꽂혀
푹 빠져 지내던 딸

어릴 때보다도
청소년이 되어 안아달라고
애정 표현을 하는
네가 고맙고 사랑스러웠지

쉽지 않은 길을 선택해
힘든 시기 혼자 건디며 열매를 맺은
고마운 우리 딸

내 딸이 맞지?
엄마는 항상 너를 응원한다
자랑스런 우리 딸 사랑해!!

미소 천사의 꿈

[딸 I 詩 감상평]

미소가 예쁜 우리 큰 딸

유치원 때는
옆에 책을 몇십 권을 쌓아놓고
큰소리로 낭독을 하고

초등학교 학년마다
동요대회에서 1등을 해서
교육청 대회를 나가고
재주도 많은 딸

"엄마 내가 미국 유학을 하러 갔는데
엄마가 이제 집으로 가야 한다며
내 손을 잡고 가는 꿈을 꾸었어"
고작 초등학교 2학년의 아이가
이런 꿈 이야기를 했다

나는
'아 이 아이는 유학을 꼭 가야 하는 아이구나'
하고 생각하며 살아왔다

결국엔 갔다
너는 아니라고 하지만
너는 대단한 내 딸이 맞다

쓸데없는 짓

일을 위한
공부를 위한
생존을 위한
노력을 위한
뇌는
쉬이 지친다.

지하철 1시간 타고 가서 커피 마시기
산책하러 지하철 타고 아차산 가기
냉면 먹으러 1시간 버스 타고 가기
가는 동안 음악 들으며 새로운 풍경보기
멍 때리기
넷플러스 드라마 정주행하기

쉬는 것만으로도 부족하고
쓸데없는 짓으로
쾌락의 뇌를 돌려야 한다.

나는 죽을 때까지
쓸데없는 짓을 해야지

압력밥솥

[쓸데없는 짓 詩 감상평]

앞만 보고 달린단다
옆도 뒤도 돌아볼 새가 없단다
365일 똑같은 생활
그게 최선이고
잘사는 건 줄 안다

아니야 쓸데없는 짓도 해야지
그래야 압력밥솥이 터지지 않지

일본인 친구

워홀을 하며 남편을 만나
대학 졸업을 하자마자
결혼을 했단다.

한국말을 전혀 못 해서
아이가 아프면
사전을 들고 병원을 갔단다.

타지로 시집을 와서는
시부모까지 모시고 살았단다
내 마음이 짠하다.

고생 많았네
이제 아이들 다 키웠으니
나랑 가끔 여행이나 다니세.

동지

[일본인 친구 詩 감상평]

큰아이가 일본으로 유학을 하면서
일본인인 큰아이 친구 엄마를 알게 되었다.

처음 만났을 때
서로 말이 없어
어색 어색했다.

몇 번을 만나다 보니
나와 살아온 색깔이 비슷해서
말도 잘 통하고
서로에게 위안을 주었다.

앞으로도 쭈욱 좋은 친구가
될 것 같다.

책, 음악, 커피

책...
음악...
커피...

내 눈앞에 글씨가
내 귀에 최애 플레이스트가
내 입에 쌉싸래한 커피가

나의 눈, 귀, 입을
충족시켜주고 있는
이 모든 것에
감사한다

삼박자

[책, 음악, 커피 詩 감상평]

내 책상 위에
책이 있고 음악과 커피가 있다

지인에게 사진을 찍어 보낸다
"언니 나는 지금 너무 행복하다"

여기에 무엇을 더 첨가할 것인가?
더 이상 부러운 것이 없다

이 순간이 너무 행복하고 감사하다

허수아비

슈퍼마켓 냉장 진열대 앞에서
마음이 허했던 나
백화점 잘 차려진 옥상 공원에서
행복하게 뛰어놀던
아이들을
허한 눈으로 바라보던 나

걸어가는 내 어깨 위에
항상 누군가 앉아서
내려다보는 것만 같았지

제자리에서
바람에 따라 흔들리는
허수아비처럼
참새가 앉았다 가도
싫은 내색 못 하듯....

허수아비가
내 동무와 같았던
시절이 있었지

버티기

[허수아비 詩 감상평]

문득문득
그때의 허했던 마음들이
가끔 생각난다

어떻게 살았지?

허한 마음 무언가로
꾸역꾸역 채우며
애쓰고 버티며 살아온
내가 대견하다

그 시절 다 잊고
씩씩하게 살아온
내가 대견하다

딸2

내 눈을 바라본다
이 세상 행복을 다 가진
아이처럼

내 손을 만진다
자기 손보다 더 부드럽다며
신기해한다

코를 킁킁대며
나의 냄새를 맡는다
좋은 향기가 난다고

나를 안으며
왜 이렇게 따뜻하냐고
호들갑을 떨면서
내 품에 파고든다

너의 눈동자 속에 미소 짓고 있는
내가 보인다
이 세상 행복을 다 가진
내가 보인다

헬렝이

[딸2 詩 감상평]

"엄마 해도 돼?"하면서
행동이 먼저였던 아이

호기심 가득 어린 눈으로
장난기 그득한 눈으로
세상을 보고

기발한 행동으로
엄청나게 놀라게도 하고
배꼽을 잡을 만큼 웃게도 했지

하고푼 건 꼭 하고야 마는
그래서 나는 무엇이든
너를 채근하지 않았지
너의 뜻대로 펼치라고

그래서 결국 해냈고
지금 힘듦을 충분히 알지만
또다시 너는 해낼 거고
너의 뜻대로 펼치는
모습을 바라볼 거야

나는 너의 재능을 믿고 또 믿는다
사랑해!!!

세월

나무가
한 곳에 버티고 서서
비바람을 맞으며
한 줄 한 줄 나이테가 생기듯
내 주름도 생기고

나무가
겨울이 되면
앙상해지듯
내 머리카락도
듬성듬성해지고

나무가
세월이 갈수록
그루터기가 넓어지고 단단해지듯
나도 그렇게 되고 싶다

나무가
철마다 군말 없이
옷을 갈아입듯이
나도 세월이 가져다준 변화를
투덜대지 말고 받아들여야지

빈 정수리

[세월 詩 감상평]

우연히 사진에 찍힌 내 정수리가
비어있음을 발견했다
올 것이 왔구나

이제 반백 년을 살았고
앞으로 살아온 만큼 더 살아 가얄텐데
점점 더 비어갈 내 정수리를
어찌할까?

그나마 다행이다
나는 내 정수리를 볼 수 없으니

2장 에세이

나의 노래

나의 노래

"낙동강 강바람에 치마폭을 스치며 군인 간 오라버니 소식이 오네 큰 얘기 사공이면 누가 뭐라나 늙으신 부모님을 내가 모시고"

5살 때 할아버지 앞에서 '처녀 뱃사공' 노래를 부르던 나.

'젊음의 행진', 지금은 고인이 되신 허 참 아저씨가 진행하던 '쇼 쇼쇼' 등 모든 식구가 불을 끄고 잠든 방에서 나 혼자 눈을 말똥말똥 뜨고 보던 나.

크리스마스가 다가오면 깜깜한 밤늦은 밤에 마당에 나가 캐럴을 부르며 율동을 했던 나.

버스를 타고 가면서도 라디오에서 흘러나오는 노래를 따라 부르던 나.

이렇게 노래를 좋아했던 나는 대학 동아리도 노래 동아리 '노래 가 좋은 사람들'에 들어갔다.

"말없이 바라보다가 힘없이 벽에 기대어 그대 나를 기다렸나 봐 지치고 피곤한 모습으로"

동아리 정기 공연에서 부른 첫 노래 '사랑해 사랑해 나떠나가'는 선율도 가사도 너무 좋아서 감성이 극도로 치 닿을 때인 20대 초반인 나는 가슴이 콩닥콩닥 뛰며 심취해 불렀었다.

"때론 마음먹은 대로 되지 않을 때도 있지만 지나간 세월을 돌아보면 괜히 웃음이 나와 정신없는 하루 끝에 눈물이 날 때도 있지만 지나간 추억을 뒤돌아보면 입가에 미소만 흘러"

40대 중반이 되어 우연히 중년 여성 밴드에 들어가 불렀던 '꿈을 꾼다'라는 노래는 내 이야기를 듣는 것 같은 노래 가사에 또다시 심취되어 불렀는데 누구나 공감되는 노랫말이란 생각이 든다.

"이제 다시 울지 않겠어! 더는 슬퍼하지 않아 다신 외로움에 슬픔에 난 흔들리지 않겠어! 더는 약해지지 않을게 많이 아파도 웃을 거야"

하늘의 명을 안다는 50대의 나는 '혼자가 아닌 나'라는 노래를 부르며 더 이상 외로움에 슬픔에 흔들리지 않고 내 음악 생활을 하려 한다.

60대에도 70, 80대에도, 90대에도 나의 건강이 허락하는 한 계속될 것이다.

미운 아버지

 아버지가 며칠 전 암 수술을 받으셨다.
걱정보다는 미운 아버지가 날 끝까지 힘들게 하는구나 하고 못된 생각을 했다. 마음은 잘해야 하는데 하는 죄책감을 안고 가슴이 뻥 뚫린 채로 지금까지 철없이 살아왔다.
미운 아버지였지만 8시간의 대수술을 하신다니 차마 그 모습을 볼 수 없을 것 같고 수술 후 예후도 좋지 않을 수 있다는 의사의 말에 말리고 싶었지만 당신 뜻대로 수술하셨다.
다행히 8시간 걸린다던 수술이 2시간이나 일찍 끝났다.
감사하게도 회복도 빨라 퇴원도 3일이나 일찍 하셨다.
아마도 딸들 힘들지 말라고 당신이 정신 똑바로 차리시고 극복하신 것 같다.
얼마 전부터 인생이 내 마음대로 되지 않듯 아버지도 그럴 이유가 있었겠지 하며 연민이 느껴지기 시작했다.
그런데 그게 더 내 마음이 불편한 이유는 뭘까.
바보같이 미운 마음을 털어내지 못하고 이제까지 살아온 세월이 아쉽다.
미운 아버지를 둔 신분들은 마음을 푸세요.
밉지만 어쩔 수 없는 내 아버지이니까.........

인류애

이태석 신부님의 다큐멘터리를 보면서 인종도 다르고 언어도 다른 그들이 이태석이라는 세글자에 울음을 터뜨리는 모습을 보고 의아해하면서도 가슴이 뭉클했다.

솔직히 이태석 신부님에 대해 그저 수단이라는 가난한 나라에서 봉사하신 분이라고만 생각했다.

그런데 이 영상을 통해서 본 이태석 신부님은 정말 단순한 봉사가 아닌 자기 삶 자체를 내어준 봉사였다.

이태석 신부님께 "우리나라에도 봉사할 곳이 많은데 왜 수단까지 가셨냐?"라는 질문에 "세상에서 가장 보잘것없는 이들에게 해 준 것이 바로 나에게 해 준 것이다"라고 예수님이 말씀하셨고 수단에 있는 우리 형제자매들의 괴로워하는 모습과 고통을 통해서 '정말 목마르다, 배고프다, 아프다'라고 표현하는 예수님을 발견하는 느낌이 들었다고 말씀하셨다.

그런 수단 아이들에게 공부는 물론 노래와 악기도 가르쳐 주셨고 그 아이 중 몇 명은 이태석 신부님을 본받아 의사도 되었다고 한다.

이태석 신부님 못지않게 감동을 주신 분은 구수환 기자님이시다. 이태석 신부님의 선한 영향력을 알리기 위해 영화를 만들었는데 저널리스트가 신부님의 삶을 일반화 시켜서 이용하고 돈벌이를 한다고 소송까지 당하셨다고 한다.

그 뒤로 이태석 신부님께 누를 끼치면 안 되겠다는 생각에 자기 개인 생활이 거의 없이 대중들과 만나 이 영화를 해석해주며 이태석 신부님의 삶을 전파하며 살고 계신다고 한다.

이태석 신부님은 경청, 진심, 무욕, 공감, 공동체 의식이라는 섬김의 리더십을 삶의 지표로 여기셨다.

수단의 아이들도 이태석 신부님의 섬김의 리더십을 보고 배웠고 어른들이 보여 주는 환경이 굉장히 중요함을 알 수 있었다.

우리가 행복하게 살아가고 우리가 지금보다 나은 삶으로 나아가려면 신부님의 삶 속에 담겨있는 섬김의 리더십 5가지가 절박하게 필요하다.

사람들에게 희망을 주기 위해 돌아가신 지 10년이 지났지만, 신부님을 놓지 않고 알리는 이유라고 하신다.

이태석 신부님과 구수환 기자님을 보며 나의 삶이 잠시 부끄러웠으며 반성이 되었다. 나는 내가 할 수 있는 범위 내에서 조금이나마 세상에 도움이 되는 사람이 되고자 한다.

나의 정신 한 귀퉁이에 이분들을 모셔 놓고서.

에필로그

책을 내기에 길지 않은 시간이었고 아직 많이 부족하고 부끄럽지만 한 걸음 발전한 기분이다.

마음에 품고 있었던 글쓰기를 해냄과 동시에 나의 가치와 비슷한 사람들을 만나 함께 글을 쓰며 시간을 보냈고, 계속 인연을 이어가게 되었다.
더 큰 수확은 나 자신과의 시간을 가지면서 나는 무엇을 가치 있게 생각하고 있었는지 나를 뒤돌아보고 나를 알아가는 시간이었다.

처음 펜을 잡았을 때는 어찌할 바를 모르고 동공만 굴리던 내가 이제는 뭔가를 알아차린 것 같다. 나는 그것만으로도 만족한다. 그래도 내가 살아갈 날이 많으니 더 많이 알아차리고 싶은 욕심은 출판을 하면 할수록 내면에서 더 끓어오른다.